스마트폰
AR 체험교실

스마트폰
AR 체험교실

발 행 | 2024년 03월 19일
저 자 | 박수경
표 지 | 김정아
펴낸이 | 한건희
펴낸곳 | 주식회사 부크크
출판사등록 | 2014.07.15.(제2014-16호)
주 소 | 서울특별시 금천구 가산디지털1로 119 SK트윈타워 A동 305호
전 화 | 1670-8316
이메일 | info@bookk.co.kr

ISBN | 979-11-410-7692-4

www.bookk.co.kr

스마트폰
AR 체험교실

박수경 지음

메타버스 활용교육, 메타버스 제작실습, 로블록스 코딩교실에 이어 어느덧 네 번째 책인 「스마트폰 AR 체험교실」을 출판하게 되었습니다.

"구슬이 서 말이라도 꿰어야 보배"라는 옛말이 있듯이 재미있는 수업을 위해 자료를 찾아 헤매고 수업에 적용해 보고 학생들에게 유익한 결과물로 이어지는 모든 과정들이 그 시기가 지나면 모래처럼 빠져나가는 것이 안타까워 이번에 또 하나의 결과물을 만들게 되었습니다.

당시에 즐겁게 수업했던 앱들이 사라지는 경우도 있었고, 마커 자료들이 없어져 현존하는 것들로만 채워가면서 우연히 재미있는 발견을 했습니다.
수업에 쓰려고 자료 하나하나 캡처 해서 사용했지만 그 당시에는 화질이 별로 좋지 않았는데, 말끔하고 선명한 자료로 탈바꿈하여 교육컨텐츠 사이트에 모여있는 것을 발견했습니다.
그 자료들 모두 이 책에 소개했습니다. AR 체험교실 실감 컨텐츠로 많은 학생들이 학습 내용을 보다 효과적으로 이해할 수 있으리라 생각합니다.

2024년 봄
박수경 지음

CONTENT

스마트폰
AR 체험교실

AR 체험교실이란?

AR 체험교실은 증강현실(AR) 기술을 활용하여 학생들에게 새로운 교육 경험을 제공하는 교실입니다. AR은 현실 세계에 가상의 이미지나 정보를 덧씌우는 기술로, 학생들이 학습 내용을 더욱 생생하고 몰입감 있게 경험할 수 있도록 돕습니다.

AR 체험 교실은 다양한 방식으로 활용될 수 있습니다. 예를 들어, 과학 수업에서는 AR을 통해 인체 구조나 동물의 생태를 3D로 살펴볼 수 있으며, 역사 수업에서는 과거의 사건이나 인물을 현실 세계에 재현하여 학습할 수 있습니다. 또한, AR 체험 교실을 통해 학생들은 직접 가상의 물체를 조작하거나 실험을 수행하여 학습 내용을 더욱 효과적으로 이해할 수 있습니다.

AR 체험 교실은 미래 교육의 중요한 트렌드입니다. AR 체험 교실을 통해 학생들은 더욱 효과적이고 흥미로운 학습 경험을 할 수 있고, 미래 사회에 필요한 역량을 키울 수 있을 것입니다.

스마트폰
AR 체험교실

1장 구글 AR

스마트폰 Chrome에서 구글에 접속합니다.
검색어 입력란에 「브라키오 사우루스」라고 입력해 봅시다.

드래그해서 화면을 올려보면 3D로 보기 화면이 나타납니다.

내가 있는 공간에서 보기를 터치 합니다.

화면을 평평한 곳에 맞춰봅니다.

브라키오사우루스
jurassicworld.com

가운데 동그라미를 한번 누르면 사진촬영이, 계속 누르고
있으면 영상촬영이 됩니다.

실제 크기로 보기를 누르면 어떻게 될까요?
아파트 공터에서 실제 크기로 꺼내 본 「티라노사우르스」입
니다.

실제 크기로 꺼내 본 공룡으로 쥬라기 공원을 만들어 봅시
다. 실제 크기로 꺼내 본 동물들과 곤충들로 본인만의 작품
을 만들어 볼 수 있습니다. 영상 속 이름들을 현실로 꺼내
보세요.

말티즈를 꺼내 봅시다. 구글 검색어에 말티즈 라고 입력합니다. 3D로 보기 - 내가 있는 공간에서 보기
짖는 소리와 움직임도 있어 실감나는 체험을 할 수 있습니다.

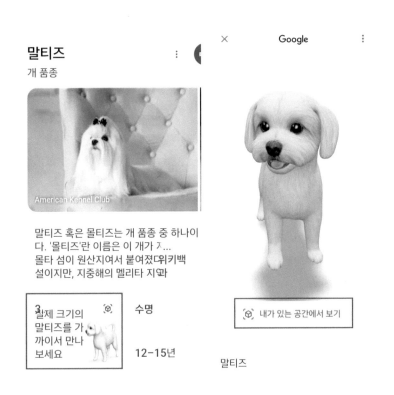

말티즈

참고 사이트
https://blog.naver.com/gajizzim/222562867669

다양한 AR친구들로 여러분만의 영상을 만들어 보세요.

AR 체험교실

동물친구들

곤충나라

세계기념물

2장 AR 패션

스마트폰에서 구글에 접속하여 「StyleAR」을 검색해 봅시다.
StyleAR.ai 사이트에 접속해 봅시다.
귀걸이, 네일, 반지, 팔찌, 시계를 착용해 봅시다.

AR가상착용 버튼을 터치해 봅시다.

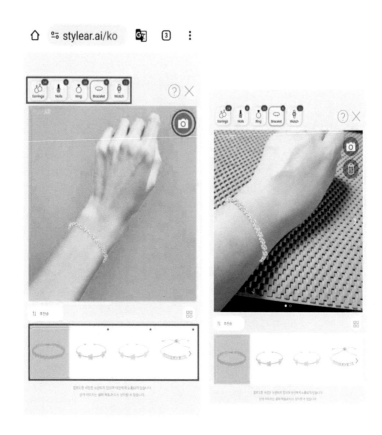

앱은 사용자가 선택한 사진에만 액세스할 수 있습니다.

✕　　　**사진**　　　앨범　　　⋮

먼저 악세사리를 착용해 볼 부위를 찍어 놓습니다.
카메라 버튼을 눌러 사진을 업로드 합니다.
다른 악세사리도 착용해 봅시다.

스마트폰 크롬에서 구글에 Wanna Fashion을 검색합니다.

옷 탐색을 눌러봅니다.
가상의류는 iOS적합이라고 적혀
있어서 아이폰에서 체험할 수
있습니다.
시계와 신발은 아이폰이
아니어도 착용할 수 있습니다.

카메라를 허용하면 바로 착용이 가능합니다.

종류는 몇 가지 없지만 가상착용을 경험할 수 있습니다.

참고 사이트
https://blog.naver.com/gajizzim/222986895989

[가상 의류 착용] – [Metastyle] 앱

[Metastyle] 앱 – [구글플레이] 설치합니다.

페이스 필터도 가능합니다.

3장 AR 생태원

[서커스 AR] - [앱스토어] [구글플레이]
큐알 링크 사이트에서 첨부 파일을 다운로드
받아 인쇄해서 사용하세요.

국립생태원이 개발하여 보급하고 있는 증강현실은 색칠하기
콘텐츠 7종과 정보 카드 형태의 엽서형 증강현실 콘텐츠 3종,
입장권 증강현실 콘텐츠 1종 등 총 11종이 있습니다.

체험활동지(호랑이) | 증강현실 구현(호랑이)

엽서형 증강현실 3종은 개미의 계급을 소개하는 '튼튼한 개미
사회', 개미의 공생관계의 곤충들에 대하여 알려주는 '개미와
친구들', 아이들이 좋아하는 대형 동물들 만날 수 있는 '사파리
탐험대' 등으로 구성되어 있습니다.

'서커스AR'는 [앱스토어] [구글플레이]에서 '서커스AR' 또는 영문(circusAR)으로 검색하면 내려받을 수 있습니다.

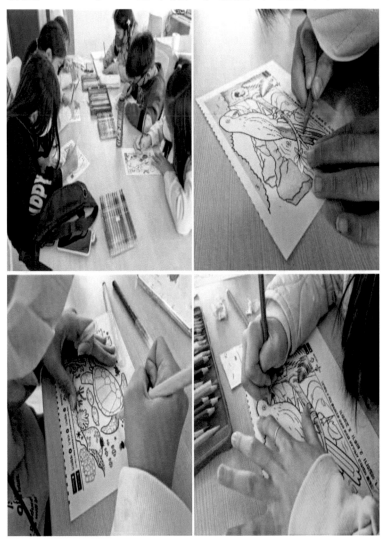

[서커스 AR] 앱으로 그림을 비춰보세요.

4장 사이언스올 – [앱스토어] [구글플레이]

[AR 동물관찰] [AR 과학문화유산]
[AR 빛 실험실] 3개의 앱을 각각 설치 후
큐알 코드 사이트에서 마커를 출력하여 카드에 비추며
실험합니다. (컬러 인쇄 권장)

4-1 [AR동물관찰] – [앱스토어] [구글플레이]

[AR] AR동물관찰

[AR 동물관찰] 앱으로 마커를 인쇄하여 비춰보세요.

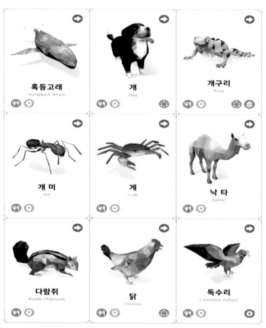

4-2 [과학 문화유산] – [앱스토어] [구글플레이]

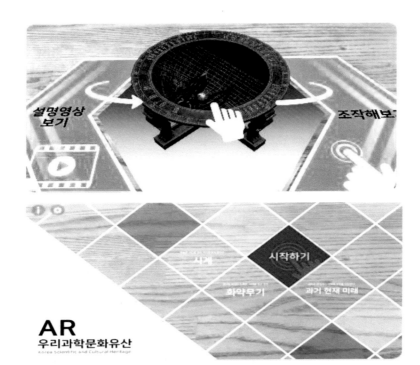

이용방법

○ 모바일 또는 태블릿에서 「AR 과학문화유산」 앱을 설치한다. **[앱스토어 바로가기]**
[구글플레이 바로가기]

○ 마커를 출력한다. **[마커 다운로드]**

○ 앱을 실행하여 카드 위에 비추며 실험한다.
[사용법 영상 보기]

　　※ 일부 안드로이드 OS버전에서는 활용이
　어려울 수 있습니다. 양해 부탁드립니다.

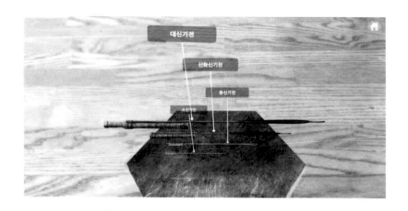

마커를 인쇄하여 비춰 보세요.

마커는 큐알코드 링크 사이트에 있습니다.

4-3 [AR 빛 실험실] - [앱스토어] [구글플레이]

4-4 [식중독잡GO] - [앱스토어] [구글플레이]

[AR] 식중독잡GO

앱을 실행 후 증강현실로 나타나는 균을 터치로 잡고 자세히 공부할 수 있는 앱입니다.

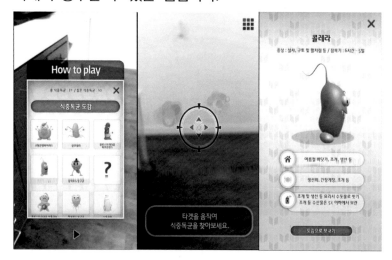

[그 밖의 과학 AR]

큐알 코드 링크 사이트를 참고하세요.

AR 운동

물리

AR로 알아보는 물체의 운동

빠르기의 비교, 속력의 표현, 직선 운동하는 물체의 속력 변화를 재미있게 체험할 수 있어요.
AR을 통해보다 입체적으로 관찰하면서 물체의 속력을 마스터 해 보아요.

AR 유전

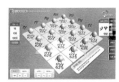

생물

AR로 체험하는 유전

완두의 교배 실험부터 다양한 사람의 유전까지. 시뮬레이션을 통해 다양한 유전 양상을 체험하
고...

AR 온대저기압

지구과학

AR로 체험하는 전선

일기도에서 표현되는 다양한 전선들과전선의 구름이 발달하는 과정까지.
입체 구조를 통해 기상현상을 알아보고, 온대저기압의 구조적 특징을 이해해봅시다!

AR 이온결합

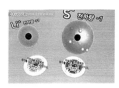

화학

AR로 만나보는 이온 결합

눈에 보이지 않아 어려웠던 이온 결합을 직접 만들어 보고입체적으로 관찰해보며 더욱 쉽게
접근해보세요. 시뮬레이션을 통한 이론 학습, 게임을 통한 복습으로 이온 결합에 대한 개념...

AR 체험교실

5장 도서관이 살아있다 - [앱스토어] [구글플레이]

국립 어린이 청소년 도서관에서 만든 책 관련 어플 3가지

[AR 책카드] [XR 책놀이] [AR 캐릭터 카드] 3가지 앱을 스마트폰에 각각 설치해서 사용하며 별도의 마커(카드)가 필요합니다. 큐알코드 링크 사이트에서 마커를 다운 받아 인쇄해서 사용하세요. AR큐브는 큐브를 접어서 활용합니다.

XR책놀이

'XR책놀이'는 다국어동화구연 대상 콘텐츠로 선정된 도서를 활용한 확장현실(XR: eXtended Reality) 놀이
활동입니다. 어린이의 눈높이에 맞추어 도서에 대한 아이들의 호기심을 유발하는 놀이 활동을 6개 국어로 즐길
수 있습니다. 눈으로 읽는 책 읽기를 넘어 움직이는 책 읽기! 어린이들이 새로운 독서활동에 흥미를 가지고 재미를
느낄 수 있기를 기대합니다.

　다국어동화구연 바로가기

책 속의 내용대로 공간을 이동해가며 이야기를 듣습니다.

AR 캐릭터 카드

'AR 캐릭터 카드'는 동화와 소설 속 주인공들을 증강현실로 만날 수 있는 즐거운 놀이 카드입니다. 세계 명작 소설과 한국 고전 문학 속 주인공들을 만나보고 나만의 새로운 이야기를 만들어 보세요!

다양한 이야기 속 캐릭터들을 꺼내어 보고 동작해봅니다.

참고 사이트
https://blog.naver.com/gajizzim/223102622256

[큐브 AR]

[CoSpaces Edu] 앱 – [앱스토어] [구글플레이]
교육용 메타버스 플랫폼의 하나로 학생들이 VR, AR 콘텐츠를 체험하고, 블록코딩으로 콘텐츠를 직접 제작할 수 있는 도구입니다. 여기서는 큐브형태로 만들어진 AR 작품을 감상할 수 있는 방법을 소개합니다.

[CoSpaces Edu] 앱을 설치하고 실행하면 아래와 같이 큐브 모양이 붙어 있는 작품들이 있습니다. 그 작품을 선택하고 큐브에 비춰 실험합니다.

인쇄한 머지큐브 도안을 잘라 순서대로 접어서 활용합니다.

머지큐브 도안

머지큐브는 정육면체 상자 모양의 AR/VR 전용 컨트롤러로써 각 면에 새겨진 마크를 인식하여 증강현실을 만듭니다. 스마트폰이나 태블릿에 내장된 카메라를 비춰보며 증강현실을 체험할 수 있습니다.

참고 사이트
https://blog.naver.com/gajizzim/223052109230

AR 체험교실

6장 미술관이 살아있다 - [앱스토어] [구글플레이]

 [스폰지AR] 트릭아트를 AR로 즐길 수 있습니다.
큐알 코드 링크 사이트에 접속해 그림에 비추며 실험합니다.

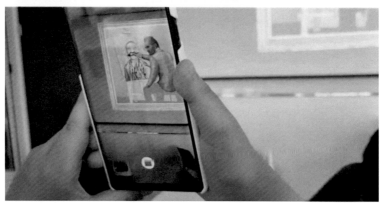

참고 사이트
https://blog.naver.com/gajizzim/223126623240

7장 AR 정원

[북방계 식물 가상 전시원] - [구글플레이]
사람의 접근이 없는 북방계 청정 지역의 희귀
식물을가상 현실로 체험하고 학습 할 수 있는 AR
어플리케이션 입니다. 앱을 실행시켜 AR 체험을 합니다.

[초록도시 AR] - [앱스토어] [구글플레이]

 [AR Gardening with ARCore] - [구글플레이]

[Plant a Tree AR] - [구글플레이]

〈AR로 꾸며 본 거실 정원〉

참고 사이트
https://blog.naver.com/gajizzim/223049859483

8장 AR 역사유물

[대한민국역사박물관] – [앱스토어] [구글플레이]

 무료 / 그림이 없더라도 사용 가능합니다.

대한민국역사박물관 AR로 떠나는 시간여행1, 2

[활동지 1]	[활동지 2]

대한민국역사박물관 AR로 떠나는 시간여행 [활동지]를
다운 받아 그림에 색칠을 하고 앱을 실행해서 비춰보며
실험합니다.

9장 태양계와 별자리

[AR Solar System] – [구글플레이]
[SkyView® 라이트] – [구글플레이] [앱스토어]
앱을 실행시켜 실험합니다.

참고사이트
https://blog.naver.com/gajizzim/223079267671

[태양계와 별자리 우주선과 로켓발사에 대한 앱 정보]

앱스토어

스카이뷰® 라이트 4+
우주 탐험
터미널 일레븐 LLC

교육 부문 8위
★★★★★
무료 인앱 구매 제공

solAR - AR의 태양계 4+
우리의 행성을 발견하십시오
마이클 스토클리

★★★★★ 증강
무료 인앱 구매 제공

우주선 AR 4+
제트 추진 연구실
iPad용으로 설계됨

★★★★★
무료

우주 로켓 탐사 4+
만들기 및 탐색
젠크 사디쿠
iPad용으로 설계됨

★★★★★
무료

[태양계와 별자리 우주선과 로켓발사에 대한 앱 정보]

구글 플레이

스카이뷰® 라이트 ⓐ
우주 탐험
터미널 일레븐 LLC

교육 우주 탐지

★★★★★

무료 · 인앱 구매 제공

AR Solar system

우주선 AR ⓑ
제트 추진 연구실
iPad용으로 설계됨

★★★★★

무료

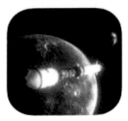

우주 로켓 탐사 ⓐ
만들기 및 탐색
펜크 사디쿠
iPad용으로 설계됨

★★★★★

무료

10장 [AR 리얼 드라이빙] - [앱스토어] [구글플레이]

움직임이 없는 안전한 상태에서 앱을 실행시켜 실험합니다.
[실제 탑승 시뮬레이션]

참고사이트
https://blog.naver.com/gajizzim/223063728064

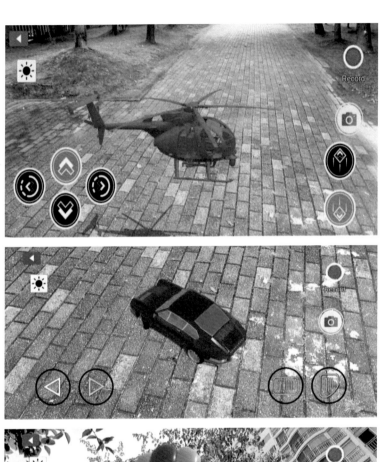

AR 체험교실

11장 AR 관광 - 서울에서 충북까지

[서커스AR] - [앱스토어] [구글플레이]
서울중구청에 AR수업용 엽서북을 보내달라고 하면 보내줍니다. 서커스AR 앱을 실행하고 AR엽서북의 표지와 각 장을 비추는 방식입니다. [명동 옛이야기로 보는 사회변동과 사회문제]는 공통교육마커 페이지에도 있습니다.

한 장씩 넘겨가며 스마트폰 앱으로 비추면 이야기가 펼쳐집니다.

참고 사이트
https://blog.naver.com/gajizzim/223057825006

AR 체험교실

[서커스 AR] 앱을 실행시켜 그림에 비춰보세요.

명동 옛 이야기

숭례문

[충청북도 관광AR] 큐알코드 사이트에서
도안을 다운받아 실행합니다.
[서커스 AR]을 실행시켜 그림에 비춰보세요.

충청호 AR 케이블카

충청호 AR 패러글라이딩

충청호 AR 수상스키

참고사이트
https://blog.naver.com/gajizzim/223138864543

12장 미술작품 속으로

[ARtscapes]앱 - [앱스토어] [구글플레이]

 첫 화면 우측 아래 Menu를 터치합니다.

Samples - Van Gogh's Room 선택합니다. 평평한 곳에
파란 동그란 원이 보이면 터치합니다.

다른 샘플들도 체험해 봅시다.

손가락으로 화면을 크게 늘려 고흐의 방으로 들어가는 체험을 해 봅시다. 보이지 않는 각도의 그림도 볼 수 있습니다. 방안에 어떤 물건들이 있는지, 창 밖의 풍경은 어디까지 보이는지 실험해 봅시다.

[반고흐 방 AR 체험 유튜브 영상]

13장 캐릭터 AR

[PARAVERSE] 앱 - [앱스토어] [구글플레이]

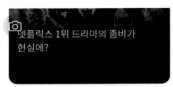

앱을 실행시킨 후 원하는 브랜드를 선택 후 현실에 나타낼 캐릭터를 선택합니다. 페이스 AR 또는 장소 AR로 실험할 수 있습니다. 장소AR은 평면에 대고 표식이 나타나면 체크 원을 터치합니다. 빗자루 모양은 삭제 입니다.

14장 AR 안전교육

승강기교육센터에서 제작한
「에스컬레이터 안전교육」과 「엘리베이터
안전교육」 색칠하는 도안을 다운받아 색칠하고 실행시켜 봅
니다. 서커스AR로 그림을 비춰보세요.

15장 실감형 컨텐츠AR / 실감형 컨텐츠 플러스 - KERIS

[앱스토어] [구글플레이]에서 「실감형 컨텐츠」
앱을 설치합니다. 학년을 선택 후
과정 중 원하는 과정을 선택합니다.

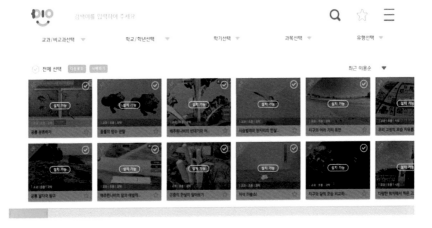

그림 없이 실행이 가능합니다.

AR 체험교실

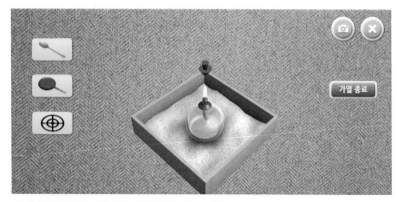

초등과학 / 초등사회 과목을 실감 컨텐츠로 공부할 수 있습니다.

초등 실감형 컨텐츠
AR 마커 다운로드

16장 [꿈의마을만들기] & [탄소중립실천 AR]

[국가환경교육 통합플랫폼]

큐알 코드
마커 다운로드

앱은 Keep@epa.or.kr로 요청하시면 apk 파일로
보내줍니다. 핸드폰에 설치해서 사용하면 됩니다. 「꿈의마을
만들기」는 탄소배출원인과 해결방법을 배우고 「함께해!
탄소중립 실천」에서는 실생활에서의 탄소중립실천 방법에
대해 AR로 재미있게 배울 수 있습니다.

참고 사이트
https://blog.naver.com/gajizzim/223049859483

[부록] 공통교육 마커

큐알 코드 링크 사이트에서 AR 마커를
인쇄해서 사용하세요. (컬러 인쇄 권장)

마커에 따라 실감형 컨텐츠 앱 또는 서커스AR 앱으로
체험합니다. 가능 앱 설명을 참고하세요.

과목	컨텐츠명	가능 앱
사회	구석기와 신석기 시대의 유물	서커스앱 가능
	청동기 시대의 유물	서커스앱 가능
	선사시대 유물 퀴즈	서커스앱 가능
	옛날의 교통수단	서커스앱 가능
	오늘날의 교통수단	서커스앱 가능
	교통수단 속도 비교하기	서커스앱 가능
	세계지도에서 기후, 인구, 자원 분포 알아보기	서커스앱 가능
	대중문화의 특징과 변화	서커스앱 가능
	명동 옛이야기로 보는 사회변동과 사회문제	서커스앱 가능
	명화로 보는 기후	실감형 컨텐츠앱
	역사문화의 도시 중국 시안	실감형 컨텐츠앱
과학	현미경 파헤치기	서커스앱 가능
	거중기가 중력에 대해 하는 일	서커스앱 가능
	개구리 해부 실험	서커스앱 가능
	지진과 화산 탐험	서커스앱 가능
	우리 몸 속 심장 여행	서커스앱 가능